마트

생선
오징어
조개
채

엄마랑 마트에 갔어요.

무엇을 샀나요?

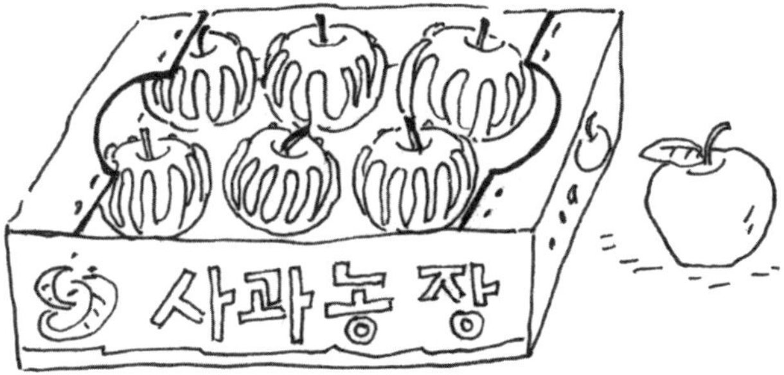

사과

과자

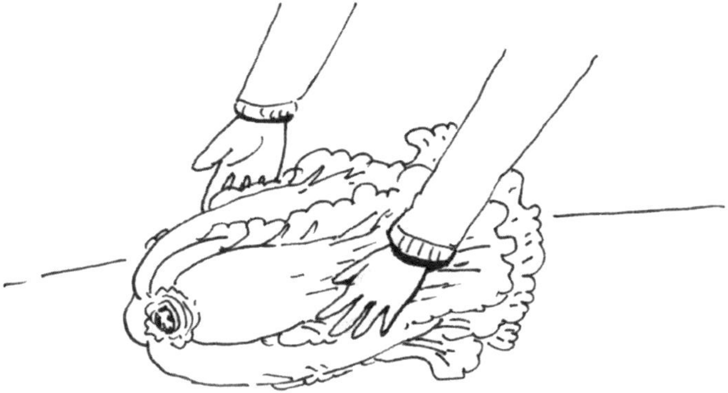

배추

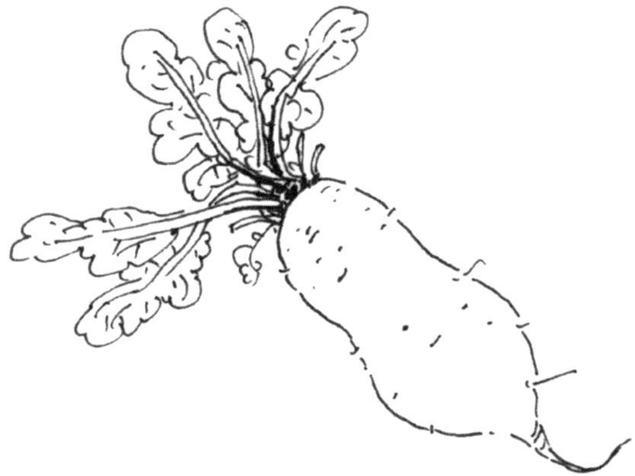

무

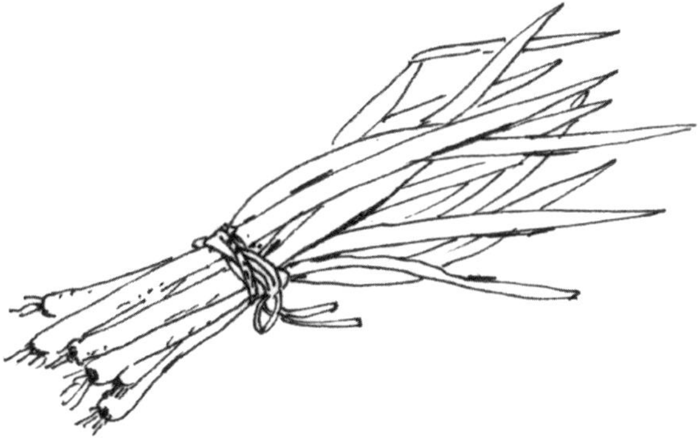

파

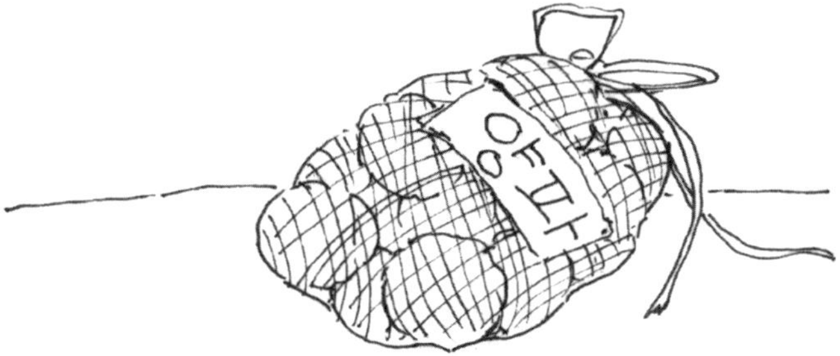

양파

아이스크림